Este livro pertence a

Para Sebastian, Daniel e Davina L. R.

e Gabriel A. W.

As mais belas orações

Tesouros para a vida inteira

Dados Internacionais de Catalogação na Publicação (CIP)
(Câmara Brasileira do Livro, SP, Brasil)

Rock, Lois
As mais belas orações : tesouros para a vida inteira / compilação de Lois Rock ; ilustração Alison Wisenfeld ; [tradução Marcos Vianna Van Acker]. – 4. ed. – São Paulo : Paulinas, 2009.

Título original: Best-loved prayers : treasures for a lifetime.
ISBN 978-85-356-0426-9

1. Orações 2. Vida cristã I. Wisenfeld, Alison. II. Título.

09-00327 CDD-242.8

Índice para catálogo sistemático:

1. Orações : Coletâneas : Cristianismo 242.8

4ª edição – 2009
4ª reimpressão – 2023

Título original da obra: *BEST-LOVED PRAYERS:* Treasures for a lifetime

Compilação: Lois Rock
Tradução: Marcos Vianna Van Acker
Ilustrações: Alison Wisenfeld
Citações bíblicas: Bíblia Sagrada – Tradução da CNBB, 2001

Cadastre-se e receba nossas informações
www.paulinas.com.br
Telemarketing e SAC: 0800-7010081

Paulinas
Rua Dona Inácia Uchoa, 62
04110-020 – São Paulo – SP (Brasil)
(11) 2125-3500
editora@paulinas.com.br

Sobre a oração

Rezar é dedicar um tempo para Deus: conversando, ouvindo, aprendendo, amando, rindo e chorando com ele.

Mas, como alguém pode rezar, se não conhece a Deus?

A maneira mais simples para começar é utilizar as orações escritas por pessoas que conhecem Deus como a um amigo. Este livro reúne várias das mais belas orações.

Algumas foram escritas há muito tempo. Utilizam palavras e expressões que naquela época eram comuns, mas hoje não são mais. Outras são bem simples. Outras ainda foram escritas em forma de poema.

Tente lê-las refletindo. Talvez você descubra que as orações falam de coisas que têm relação com você – seus medos e suas esperanças, suas alegrias e tristezas. E mais ainda: talvez você comece a perceber quanto os escritores acreditam no auxílio que Deus pode conceder por meio dessas orações.

As preces vêm acompanhadas de passagens da Bíblia, o livro especial da fé cristã, que revela como as pessoas acreditam em Deus e quanto Deus as ama e quer ser seu amigo.

Quando uma pessoa começa a perceber que Deus é bondoso, acolhedor e amável acha mais fácil dirigir-lhe sua própria oração. Então, provavelmente, ela fará suas orações cotidianas com as palavras do dia a dia.

E então poderá descobrir o que Deus diz e faz em resposta.

Deus é o criador do mundo

Pelas flores que se abrem a nossos pés,
Pai, damos graças a ti.
Pela relva suave, tão verde e tão tenra,
Pai, damos graças a ti.
Pelo canto das aves e o mel das abelhas,
por tudo o que vemos e ouvimos de belo,
Pai celeste, damos graças a ti.

Pelo azul do céu e pelo azul do mar,
Pai, damos graças a ti.
Pela sombra amena dos altos ramos,
Pai, damos graças a ti.
Pelo ar perfumado e o frescor da brisa,
pela beleza das árvores floridas,
Pai celeste, damos graças a ti.

Pela manhã que nasce com sua luz,
Pai, damos graças a ti.
Pelo abrigo e o repouso da noite,
Pai, damos graças a ti.
Pela saúde e alimento, pelo amor e amizade,
por tudo o que nos envia a tua bondade,
Pai celeste, damos graças a ti.

Ralph Waldo Emerson (1803-1882)

"Do Senhor é a terra com
tudo o que ela contém."

Salmo 24,1

Deus cuida do mundo

Querido Pai, ouve e abençoa
teus animais e teus pássaros que cantam;
e guarda com ternura os pequenos seres
que não têm palavras.

Jesus disse: “Nem mesmo um pardal
é esquecido por Deus”.

Lucas 12,6

Deus cuida de mim

Pai amado, que criaste todas as coisas
e delas tens cuidado,
para teu amor imenso, nada é demasiado grande
nem demasiado pequeno.
Se tal amor dedicas
a tudo o que cresce tão selvagem,
como será teu amor por mim,
que sou teu filho?

G. W. Briggs (1875-1959)

Jesus disse: "Deus sustenta os pássaros... Será que vós não valeis mais do que os pássaros?".

Lucas 12,24

Deus nos dá tudo o que precisamos

O pão é puro e fresco,
a água é fria e cristalina.
Deus de toda a vida, fica conosco;
Deus de toda a vida, permanece perto de nós.

Uma oração africana

Jesus disse: "Eu sou o pão da vida. Quem vem a mim não terá mais fome, e quem crê em mim nunca mais terá sede".

João 6,35

Deus vem a nós na pessoa de Jesus

Tu deixaste teu trono e tua coroa celeste
quando desceste à terra por mim;
mas não houve lugar no lar de Belém
para o teu nascimento.
Ó vem para o meu coração, Senhor Jesus,
pois nele há lugar para ti.

Emily E. S. Elliott

O anjo Gabriel foi enviado por Deus a uma virgem chamada Maria, e disse-lhe: "Conceberás e darás à luz um filho, e lhe porás o nome de Jesus. Ele será grande; será chamado Filho do Altíssimo".

Lucas 1,31-32

Deus acolhe as crianças

Jesus, amigo das criancinhas,
sê meu amigo também;
segura minha mão, mantém-me
sempre junto de ti.

Nunca me deixes, não me abandones,
sê sempre meu amigo,
pois preciso de ti todo o tempo,
da aurora ao ocaso da vida.

Jesus chamou as crianças para
perto de si, dizendo: "Deixai as
crianças virem a mim".

Lucas 18,16

Deus toma conta daqueles que o seguem

Pastor, que amas o teu rebanho,
guarda tua ovelha em bom lugar;
nada pode resistir ao teu poder,
ninguém pode me tirar da tua mão.

Jesus disse: “Eu sou o bom pastor.
O bom pastor dá a vida
por suas ovelhas”.

João 10,11

Deus é um pai que ama

Pai nosso que estás nos céus,
santificado seja o teu nome;
venha o teu reino;
seja feita a tua vontade,
como no céu, assim também na terra.
O pão nosso de cada dia dá-nos hoje.
Perdoa as nossas dívidas,
assim como nós perdoamos aos que nos devem.
E não nos deixes cair em tentação,
mas livra-nos do maligno.

Mateus 6,9-13

Pois teu é o reino, o poder e
a glória para sempre. Amém.

Antiga conclusão da oração que Jesus
ensinou

Um dos discípulos de Jesus pediu-lhe:
“Senhor, ensina-nos a orar”.
Jesus então ensinou-lhes
a oração do Pai-nosso.

Lucas 11,1-4

Deus é o melhor pai

Ó Deus,
assim como é verdade que és nosso pai,
também é verdade que és nossa mãe.
Nós te damos graças, Deus nosso pai,
por tua bondade e por tua força.
Nós te damos graças, Deus nossa mãe,
pela segurança de teus cuidados.
Ó Deus, nós te damos graças
pelo grande amor que tens para cada um de nós.

Julian de Norwich

Deus diz: "Qual mãe que acaricia os filhos, assim vou dar-vos o meu carinho".

Isaías 66,13

Deus está pronto a perdoar

Amado Senhor e Pai da humanidade,
perdoa nossos erros e maldades!
Reveste-nos com um espírito reto
a fim de que numa vida pura sirvamos a ti
e te louvemos pela reverência mais profunda.

J. G. Whittier (1807-1892)

"Mas quando se manifestou a
bondade de Deus, nosso Salvador,
e o seu amor pela humanidade, ele nos salvou,
não por causa dos atos de justiça que tivéssemos praticado, mas
por sua misericórdia, mediante o banho da regeneração
e renovação do Espírito Santo."

Tito 3,4-5

Deus nos dá um novo começo... uma vida nova

Cristo está ressuscitando novamente,
de sua morte e de toda sua dor:
portanto, nós queremos estar felizes
e exultamos alegremente com ele.
Kyrieleison.
Ele não ressuscitou novamente,
nós é que estivemos perdidos,
esta é a verdade;
mas já que ele está ressuscitando de fato,
vamos todos apressar-nos a amá-lo.
Kyrieleison.
Agora é tempo de alegria,
de cantar a bondade do Senhor:
por isso, agora estaremos felizes
e somente nos regozijaremos nele.
Kyrieleison.

Miles Coverdale (1488-1568)

"Deus vos deu a vida com ele, quando nos perdoou todas as nossas faltas."

Colossenses 2,12-13

Kyrieleison (ou mais usado *Kyrie eleison*) em grego significa "Senhor, tende piedade de nós".

Deus nos ajuda a ser o que queremos

Deus está em minha mente e em meu entendimento;
Deus está em meus olhos e em meu olhar;
Deus está em minha boca e em minhas palavras;
Deus está no meu coração e nos meus pensamentos;
Deus está no meu fim e na minha partida.

Do Livro das Horas (1514)

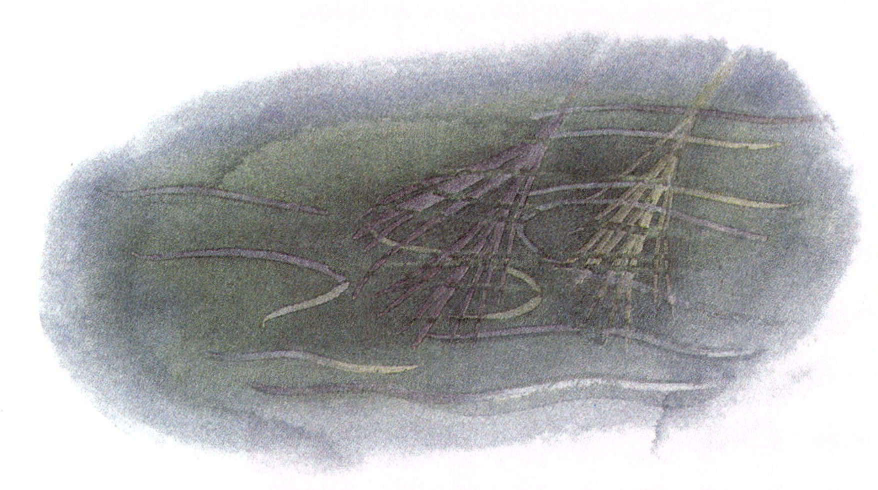

"Caríssimos, desde já somos filhos de Deus... Sabemos que quando Jesus se manifestar, seremos semelhantes a ele..."

1 João 3,2

Deus nos ajuda a amar-nos uns aos outros

Que nossas amizades sejam fortes, Senhor,
que sejam uma bênção para todos...
Que nossas amizades sejam abertas, Senhor,
que sejam um abrigo para todos...
Que nossas amizades sejam suaves, Senhor,
que tragam a paz para todos... Amém.

C. Herbert

"Caríssimos, amemo-nos uns aos outros,
porque o amor vem de Deus..."

1 João 4,7

Deus ouve quando rezamos pelos outros

Senhor, olha pelos que trabalham, pelos que vigiam e pelos que choram nesta noite, e envia teus anjos para guardar os que dormem.

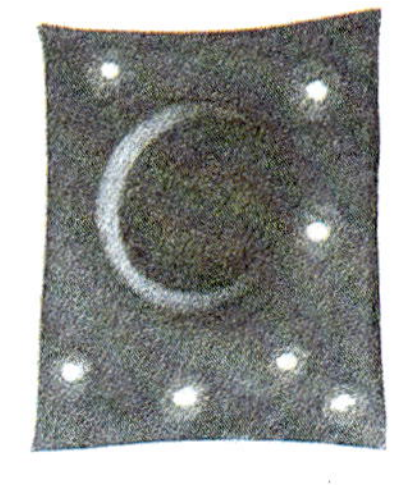

Toma conta dos doentes, Cristo Senhor; concede o repouso aos fatigados, abençoa os moribundos, alivia os que sofrem, tem piedade dos aflitos, protege os que estão felizes; tudo em nome do teu amor.

Santo Agostinho (335-430)

"O Senhor (...) cura os corações atribulados e enfaixa suas feridas."

Salmo 147,3

Deus cuida de tudo que é importante para nós

Recomendamos a ti, ó Senhor,
nossas almas e nossos corpos,
nossas mentes e nossos pensamentos,
nossas orações e nossas esperanças,
nossa saúde e nossos trabalhos,
nossa vida e nossa morte,
nossos pais, nossos irmãos e irmãs,
nossos vizinhos e conterrâneos,
e todo o povo cristão,
agora e para sempre.

Lancelot Andrewes (1555-1626)

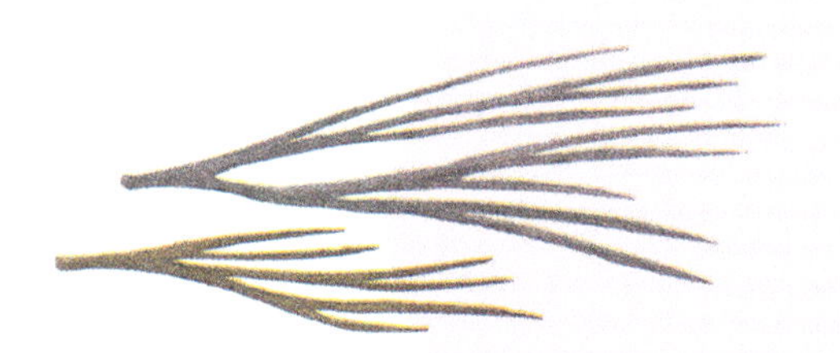

"Lançai sobre Deus toda a vossa preocupação, pois ele é quem cuida de vós."

1 Pedro 5,7

Deus é nosso guia

Meu amado Senhor,
que tu sejas
uma chama brilhante diante de mim,
uma estrela-guia sobre mim,
um caminho suave abaixo de mim,
um gentil pastor atrás de mim.
Hoje e para sempre.

Santa Colomba (521-597)

"Eu te farei sábio, eu te indicarei
o caminho a seguir."

Salmo 32,8

Podemos confiar em Deus

Teu caminho, Senhor, não o meu,
não importam as trevas que houver;
guia-me por tua própria mão,
escolhe o caminho por mim.

Horatio Bonar (1808-1889)

"Sempre que estiveres para te desviar para um lado ou para outro,
poderás ouvir atrás de ti a palavra de quem te orienta:
'O caminho é este, por aqui deves andar'."

Isaías 30,20-21

Deus nos protege

Protege-me, ó Senhor;
meu barco é tão pequeno,
e teu mar é tão grande.

Tradicional prece bretã

"Jesus se levantou e repreendeu o vento
e o mar: 'Silêncio! Cala-te!'
O vento parou e fez-se uma grande
calmaria."

Marcos 4,39

Deus cuida de cada um de nós

Senhor, protege-nos esta noite
de todos os nossos medos;
que os anjos nos guardem enquanto dormimos
até que venha a luz da manhã.

John Leland (1754-1841)

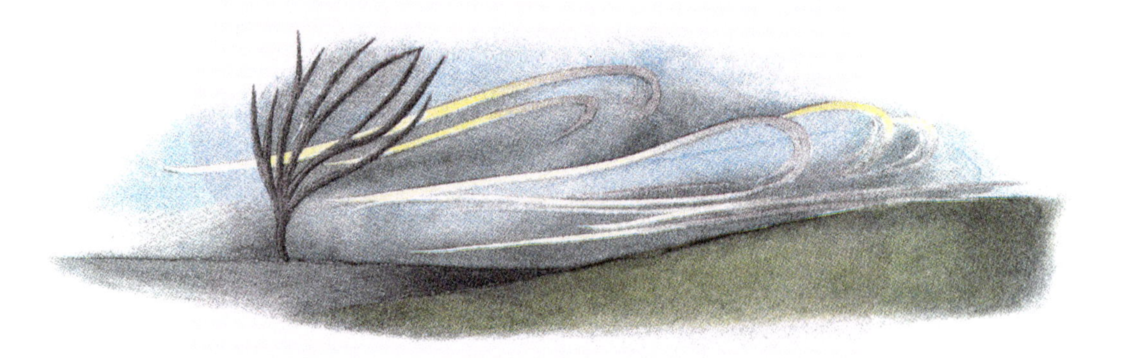

"Nada de medo, homem querido! Calma!
Coragem! Coragem!"

Daniel 10,19

Deus cuida dos que viajam para longe

Que a estrada venha ao teu encontro.
Que o vento sopre sempre pelas tuas costas.
Que o sol brilhe suave em tua face.
Que a chuva caia leve sobre teus campos.
E, até que nos vejamos novamente,
que Deus te guarde na palma de sua mão.

Bênção tradicional da Irlanda

"Eis que estou convosco todos os dias,
até o fim dos tempos."

Mateus 28,20

Sumário